BON APPÉTIT,
mon petit ourson chéri!

Bon Appétit,
mon petit ourson chéri!

Texte : Alain M. Bergeron

Illustrations : Fabrice Boulanger

ÉDITIONS
MICHEL
QUINTIN

Catalogage avant publication de Bibliothèque et Archives Canada

Bergeron, Alain M., 1957-
    Bon appétit, mon petit ourson chéri!
    Pour enfants de 3 ans et plus.
    ISBN-13: 978-2-89435-325-7
    ISBN-10: 2-89435-325-1

    I. Boulanger, Fabrice. II. Titre.

PS8553.E674B662 2006   jC843'.54   C2006-941494-7
PS9553.E674B662 2006

Révision linguistique : Rachel Fontaine

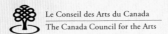

La publication de cet ouvrage a été réalisée grâce au soutien financier du Conseil des Arts du Canada et de la SODEC.

De plus, les Éditions Michel Quintin bénéficient de l'aide financière du gouvernement du Canada par l'entremise du Programme d'aide au développement de l'industrie de l'édition (PADIÉ) pour leurs activités d'édition.

Gouvernement du Québec – Programme de crédit d'impôt pour l'édition de livres – Gestion SODEC

Tous droits de traduction et d'adaptation réservés pour tous les pays. Toute reproduction d'un extrait quelconque de ce livre, par procédé mécanique ou électronique, y compris la microreproduction, est strictement interdite sans l'autorisation écrite de l'éditeur.

ISBN 2-89435-325-1
ISBN 978-2-89435-325-7
Dépôt légal - Bibliothèque et Archives nationales du Québec, 2006
Dépôt légal - Bibliothèque et Archives Canada, 2006

© Copyright 2006
Éditions Michel Quintin
C.P. 340, Waterloo (Québec)
Canada J0E 2N0
Tél. : 450-539-3774
Téléc. : 450-539-4905
www.editionsmichelquintin.ca

0 6 - K 2 - 1

Imprimé au Canada

Mon papa Ours a passé une heure à cuisiner cet avant-midi. Il m'a annoncé fièrement qu'il avait préparé mon mets préféré : une lasagne aux fruits de mer. Il m'a invitée à la table et m'a souhaité bon appétit, mon petit ourson chéri! Je lui ai rappelé que mon plat favori est une lasagne aux fruits des champs.
Mais ce n'est pas grave…

Oups! J'ai été trop vite! Il fallait que je me
brosse les dents *après* le repas... Pas avant,
comme me l'a fait observer mon papa Ours.
« À la soupe! » a-t-il ajouté.

En voyant que des petites nouilles flottaient sur la soupe que papa m'a servie, une idée m'est venue. J'ai inventé un jeu de patience : manger de la soupe avec une fourchette. Tout un défi!

J'ai mis un peu de poivre et ça m'a fait éternuer...
« Excuse-moi, mon petit papa Ours! »

Je n'avais pas encore touché à ma lasagne. Mon papa Ours s'est inquiété. Mais je lui ai expliqué que je préférais attendre que Zorba prenne une première bouchée avant de commencer.

Une mouche s'est posée sur ma lasagne. « Est-ce que je dois la manger? » ai-je demandé. « La lasagne? » s'est étonné mon papa Ours. « Non! ai-je répliqué. La mouche! » Papa a aussitôt vidé mon assiette dans la poubelle et m'a servi une autre portion.

J'ai ensuite tenté une expérience : avaler mon repas avec une paille, comme le font les mouches. Ce n'était pas vraiment une bonne idée, a constaté mon papa Ours.

Après, j'ai eu envie de compter combien de croûtons il y avait dans ma salade verte. Je crois que j'en ai échappé un... deux... trois... quatre... cinq sur le plancher. « Il en reste encore douze dans ton assiette », a soupiré mon papa Ours.

Plus tard, j'ai voulu savoir si le grand méchant loup avait dévoré
le petit chaperon rouge avec des légumes. Mon papa Ours n'en était
pas sûr. Mais comme le loup avait d'abord mangé la grand-mère, le petit
chaperon rouge devait être le dessert. « Il l'a mangé avec du miel,
alors? » ai-je demandé.

Comme je l'ai dit à mon papa Ours, je ne m'étais pas trompée. Je voulais juste savoir ce que goûte la lasagne avec du miel. Et tout à l'heure, je mettrai de la vinaigrette sur ma crème glacée...

« J'ai terminé... ai-je annoncé à mon papa Ours. Si je mange trop, je n'aurai plus faim pour ma collation de l'après-midi! »

Ça alors! L'autre jour, à la télévision, le magicien a tiré sur la nappe et tout est resté sur la table. Il faudra qu'il m'explique son truc...

Mon papa Ours avait l'air bien découragé par le désordre dans la cuisine. Pour le remercier de son délicieux repas, je lui ai préparé mon dessert favori : un sandwich au beurre d'arachide et à la banane. Quel festin! Bon appétit, mon papa Ours chéri!